Recettes de Restauration Rapide Végétaliennes

Si vous aimez les hamburgers, les sandwichs, les tacos, les empanadas et les burritos et que vous recherchez des versions végétaliennes, ce livre est fait pour vous.

LUCIAN MARTIN

Recettes de Restauration Rapide Végétaliennes

BY LUCIAN MARTIN

INTRODUCTION

Les États-Unis ont la plus grande industrie de restauration rapide au monde et il existe des restaurants de restauration rapide américains dans plus de 100 pays. Les gens de toutes sortes sont attirés par les restaurants à bas prix et à grande vitesse qui servent des plats indulgents et populaires.

Mais soyons honnêtes, la nourriture n'est guère saine. La bonne nouvelle est qu'il est facile de préparer vos plats de restauration rapide préférés à la maison. Vous pouvez choisir les ingrédients pour qu'ils soient sains, nostalgiques et indulgents.

Vous aimez les burgers, les sandwichs, les tacos, les empanadas et les burritos et vous cherchez des versions vegan ? Alors vous allez adorer ce tour d'horizon de recettes de restauration rapide végétaliennes dignes de bave !

SANDWICHS ET WRAPS

1. Sandwichs au tempeh Ruben

Donne 2 sandwichs

- 8 onces de tempeh

- 3 cuillères à soupe de mayonnaise végétalienne, maison (voir Mayonnaise végétalienne) ou du commerce
- 1 cuillère à soupe de relish de cornichons sucrés
- 1 oignon vert, émincé
- 2 cuillères à soupe d'huile d'olive
- Sel et poivre noir fraîchement moulu
- 1
- 4 tranches de pain de seigle ou de pumpernickel
- ¾ tasse de choucroute, bien égouttée

Dans une casserole moyenne d'eau frémissante, cuire le tempeh pendant 30 minutes. Égoutter le tempeh et laisser refroidir. Séchez et coupez en tranches de 1/4 de pouce.

Dans un petit bol, mélanger la mayonnaise, le ketchup, la relish et l'oignon vert. Saler et poivrer au goût, bien mélanger et réserver.

Dans une poêle moyenne, chauffer l'huile à feu moyen. Ajouter le tempeh et cuire jusqu'à ce qu'il soit doré des deux côtés, environ 10 minutes au total. Assaisonnez avec du sel et du poivre selon votre goût. Retirer de la poêle et réserver.

Essuyez la poêle et réservez. Étaler de la margarine sur un côté de chaque tranche de pain. Placer 2 tranches de pain, côté margarine vers le bas, dans la poêle. Étaler la vinaigrette sur les deux tranches de pain et y déposer le tempeh frit et la choucroute.

Garnir chacune des 2 tranches de pain restantes, côté margarine vers le haut. Transférer les sandwichs dans la poêle et cuire jusqu'à ce qu'ils soient légèrement dorés des deux côtés, en les retournant une fois, environ 2 minutes par côté.

Retirer les sandwichs de la poêle, les couper en deux et servir immédiatement.

2. Portobello Po'Boys

Donne 4 po'boys

- 3 cuillères à soupe d'huile d'olive

- 4 chapeaux de champignons portobello, légèrement rincés, essorés et coupés en morceaux de 1 pouce
- 1 cuillère à café d'assaisonnement cajun
- Sel et poivre noir fraîchement moulu
- 1/4 tasses de mayonnaise végétalienne, maison (voir Mayonnaise végétalienne) ou du commerce
- 4 petits pains à sandwich croustillants, coupés en deux horizontalement
- 4 tranches de tomate mûre
- 11/2 tasses de laitue romaine râpée
- sauce Tabasco

Dans une grande poêle, chauffer l'huile à feu moyen. Ajouter les champignons et cuire jusqu'à ce qu'ils soient dorés et ramollis, environ 8 minutes. Assaisonner avec l'assaisonnement cajun et saler et poivrer au goût. Mettre de côté.

Étaler de la mayonnaise sur les côtés coupés de chacun des rouleaux. Placer une tranche de tomate au fond de chaque rouleau, garnir de laitue râpée. Disposer les morceaux de champignons sur le dessus, saupoudrer de Tabasco au goût, garnir de l'autre moitié du rouleau et servir.

Secouez votre routine de sandwichs

Que nous préparions un déjeuner scolaire pour les enfants ou que nous préparions notre propre déjeuner pour le travail, beaucoup d'entre nous entrent dans une ornière sandwich. Après tout, comment pouvez-vous améliorer un bon PB&J ? C'est rapide, facile et économique. Mais tout le monde aime un peu de variété de temps en temps, et lorsque vous commencez à penser en dehors de la boîte à lunch, les possibilités de variation deviennent infinies.
De la même manière que les bons accessoires peuvent faire une belle tenue, ce sont souvent les petites attentions qui font un bon sandwich. Voici quelques façons de bousculer votre routine sandwich :

Faites un échange de pain : Si vous installez normalement votre hamburger dans un petit pain, essayez-le dans un wrap. Si cette tartinade de houmous est toujours dans un pita, essayez-la sur deux plaques de pumpernickel.

Changez vos condiments : Essayez une nouvelle moutarde épicée ou ajoutez du curry ou du wasabi à votre mayo végétalienne. Utilisez un chutney ou une relish au lieu de ketchup sur votre hamburger végétarien. Vous serez étonné de voir à quel point le même vieux sandwich a soudainement un goût flambant neuf.

Ajouter une couche : S'il s'agit d'un PB&J, ajoutez une couche de fruits frais ou secs, de noix hachées ou même de céleri émincé ou de carottes râpées. Miam c'est le mot. Pour un hamburger ou un autre sandwich "charnu" comme le seitan ou le tempeh, ajoutez une couche de légumes grillés ou rôtis comme des courgettes, des poivrons, des champignons ou des oignons émincés.

Tourner une nouvelle page: Vous utilisez toujours l'iceberg sur vos sandwichs après toutes ces années ? Glissez-y une feuille de laitue au beurre mou, de laitue romaine croquante ou de roquette poivrée. Vous craignez le flétrissement ? Emballez la laitue séparément dans un sac à fermeture éclair et glissez-la dans votre sandwich au moment de manger.

Sur le côté: Même un sandwich mérite une bonne compagnie. Apportez une salade de chou, une salade de haricots, une salade de pommes de terre ou une salade de fruits. Et n'oubliez pas les cornichons et les chips.

3. Goûts comme les sandwichs à la salade de thon

Donne 4 sandwichs

- 11/2 tasses cuites ou 1 boîte (15,5 onces) de pois chiches, égouttés et rincés
- 2 côtes de céleri, hachées
- 14 tasse d'oignon émincé
- 1 cuillère à café de câpres, égouttées et hachées

- 1 tasse de mayonnaise végétalienne, maison (voir Mayonnaise végétalienne) ou du commerce, divisé
- 2 cuillères à café de jus de citron frais
- 1 cuillère à café de moutarde de Dijon
- 1 cuillère à café de poudre de varech
- 4 feuilles de laitue
- 4 tranches de tomate mûre
- Sel et poivre
- Pain

Dans un bol moyen, écraser grossièrement les pois chiches. Ajouter le céleri, l'oignon, les câpres, 1/2 tasse de mayonnaise, le jus de citron, la moutarde et la poudre de varech. Assaisonnez avec du sel et du poivre selon votre goût. Mélanger jusqu'à ce que le tout soit bien combiné. Couvrir et réfrigérer au moins 30 minutes pour permettre aux saveurs de se mélanger.

Au moment de servir, étalez le 1/4 de tasse de mayonnaise restante sur 1 côté de chacune des tranches de pain. Superposer la laitue et la tomate sur 4 des tranches de pain et répartir uniformément le mélange de pois chiches entre elles. Garnir chaque sandwich avec la tranche de pain restante, côté mayonnaise vers le bas, coupé en deux et servir.

4. Sandwichs au boulgour bâclé

Donne 4 sandwichs

- $1\frac{3}{4}$ tasse d'eau
- 1 tasse de boulgour moyennement moulu
- Le sel
- 1 cuillère à soupe d'huile d'olive
- 1 petit oignon rouge, émincé
- $^{1}/2$ poivron rouge moyen, émincé

- (14,5 onces) boîte de tomates concassées
- 1 cuillère à soupe de sucre
- 1 cuillère à soupe de moutarde jaune ou brune épicée
- 2 cuillères à café de sauce soja
- 1 cuillère à café de poudre de chili
- Poivre noir fraichement moulu
- 4 petits pains à sandwich, coupés en deux horizontalement

Dans une grande casserole, porter l'eau à ébullition à feu vif. Incorporer le boulgour et saler légèrement l'eau. Couvrir, retirer du feu et réserver jusqu'à ce que le boulgour ramollisse et que l'eau soit absorbée, environ 20 minutes.

Pendant ce temps, dans une grande poêle, chauffer l'huile à feu moyen. Ajouter l'oignon et le poivron, couvrir et cuire jusqu'à ce qu'ils soient tendres, environ 7 minutes. Incorporer les tomates, le sucre, la moutarde, la sauce soja, la poudre de chili, le sel et le poivre noir au goût. Laisser mijoter 10 minutes en remuant fréquemment.

Verser le mélange de boulgour sur la moitié inférieure de chacun des rouleaux, garnir de l'autre moitié et servir.

5. Pitas « Salade aux œufs » au tofu au cari

Donne 4 sandwichs

- 1 livre de tofu extra-ferme, égoutté et épongé
- $^{1}/2$ tasses de mayonnaise végétalienne, maison (voir Mayonnaise végétalienne) ou du commerce

- $^{1}/4$ tasse de chutney de mangue haché, fait maison (voir Chutney de mangue) ou du commerce
- 2 cuillères à café de moutarde de Dijon
- 1 cuillère à soupe de curry piquant ou doux
- 1 cuillère à café de sel
- $^{1}/8$ cuillères à café de cayenne moulu
- 1 tasse de carottes râpées
- 2 côtes de céleri, hachées
- $^{1}4$ tasse d'oignon rouge émincé
- 8 petites feuilles de laitue Boston ou autres feuilles molles
- 4 pains pita de blé entier (7 pouces), coupés en deux

Émiettez le tofu et placez-le dans un grand bol. Ajouter la mayonnaise, le chutney, la moutarde, la poudre de cari, le sel et le poivre de Cayenne, et bien mélanger jusqu'à ce que le tout soit bien mélangé.

Ajouter les carottes, le céleri et l'oignon et mélanger. Réfrigérer pendant 30 minutes pour permettre aux saveurs de se mélanger.

Rentrez une feuille de laitue à l'intérieur de chaque poche de pita, versez un peu de mélange de tofu sur la laitue et servez.

6. Sandwichs de jardin sur du pain

Donne 4 sandwichs

- 1 livre de tofu extra-ferme, égoutté et épongé

- 1 poivron rouge moyen, haché finement
- 1 côte de céleri, hachée finement
- 3 oignons verts, émincés
- ^{1}/4 tasse de graines de tournesol décortiquées
- ^{1}/2 tasses de mayonnaise végétalienne, maison (voir Mayonnaise végétalienne) ou du commerce
- ^{1}/2 cuillères à café de sel
- ^{1}2 cuillères à café de sel de céleri
- ^{1}/4 cuillères à café de poivre noir fraîchement moulu
- 8 tranches de pain de grains entiers
- (1/4 po) tranches de tomate mûre
- feuilles de laitue

Émiettez le tofu et placez-le dans un grand bol. Ajouter le poivron, le céleri, les oignons verts et les graines de tournesol. Incorporer la mayonnaise, le sel, le sel de céleri et le poivre et mélanger jusqu'à ce que le tout soit bien mélangé.

Griller le pain, si désiré. Étaler le mélange uniformément sur 4 tranches de pain. Garnir chacun d'une tranche de tomate, d'une feuille de laitue et du reste du pain. Couper les sandwichs en deux en diagonale et servir.

7. Sandwichs aux fruits et noix

Donne 4 sandwichs

- 2/3 tasse de beurre d'amande
- 1/4 tasse de nectar d'agave ou de sirop d'érable pur
- 1/4 tasse de noix hachées ou autres noix au choix
- 1/4 tasse de canneberges séchées sucrées
- 8 tranches de pain de grains entiers

- 2 poires Bosc ou Anjou mûres, évidées et tranchées finement

Dans un petit bol, mélanger le beurre d'amande, le nectar d'agave, les noix et les canneberges, en remuant jusqu'à ce que le tout soit bien mélangé.

Répartir le mélange entre les tranches de pain et étendre uniformément. Garnir 4 tranches de pain avec les tranches de poire, côté étalé vers le haut. Placer les tranches de pain restantes sur les tranches de poire, côté étalé vers le bas. Trancher les sandwichs en diagonale et servir aussitôt.

8. Wraps aux champignons marinés

Donne 2 enveloppements

- 3 cuillères à soupe de sauce soja
- 3 cuillères à soupe de jus de citron frais
- 11/2 cuillères à soupe d'huile de sésame grillé

- 2 chapeaux de champignons portobello, coupés en lanières de 1/4 po
- 1 avocat Hass mûr, dénoyauté et pelé
- tortillas à la farine (10 pouces)
- 2 tasses de jeunes pousses d'épinards frais
- 1 poivron rouge moyen, coupé en lanières de 1/4 po
- 1 tomate mûre, hachée
- Sel et poivre noir fraîchement moulu

Dans un bol moyen, mélanger la sauce soja, 2 cuillères à soupe de jus de citron et l'huile. Ajouter les lanières de portobello, mélanger pour combiner et laisser mariner pendant 1 heure ou toute la nuit. Égoutter les champignons et réserver.

Écrasez l'avocat avec 1 cuillère à soupe de jus de citron restante.

Pour assembler les wraps, placez 1 tortilla sur une surface de travail et étalez-y une partie de la purée d'avocat. Garnir d'une couche de pousses d'épinards. Dans le tiers inférieur de chaque tortilla, disposer des lanières de champignons trempés et quelques lanières de poivrons. Saupoudrer de tomate et de sel et de poivre noir au goût. Rouler serré et couper en deux en diagonale. Répétez avec les autres ingrédients et servez.

9. Rouleaux de tofu aux arachides

Donne 4 wraps

- 8 onces de tofu extra-ferme, bien égoutté et essuyé
- 1 cuillère à soupe de sauce soja
- 1 cuillère à soupe de jus de citron vert frais
- 1/2 cuillères à café de gingembre frais râpé
- 1 gousse d'ail, émincée

- 1/4 cuillères à café de cayenne moulu

- 4 tortillas à la farine (10 pouces) ou pain plat au lavash

- 2 tasses de laitue romaine râpée

- 1 grosse carotte, râpée

- 1/2 concombre anglais moyen, pelé et coupé en tranches de 1/4 po

Dans un robot culinaire, mélanger le tofu, le beurre d'arachide et la sauce soja et mélanger jusqu'à consistance lisse. Ajouter le jus de citron vert, le gingembre, l'ail et le poivre de Cayenne et mélanger jusqu'à consistance lisse. Laisser reposer 30 minutes à température ambiante pour permettre aux saveurs de se mélanger.

Pour assembler les wraps, placez 1 tortilla sur une surface de travail et étalez avec environ 1/2 tasse de tofu

mélange. Saupoudrer de laitue, de carotte et de concombre. Rouler serré et couper en deux en diagonale. Répétez avec les autres ingrédients et servez.

10. Wraps à la salade du jardin

Donne 4 wraps

- 6 cuillères à soupe d'huile d'olive
- 1 livre de tofu extra-ferme, égoutté, essoré et coupé en lanières de 1/2 pouce
- 1 cuillère à soupe de sauce soja

- $^{1}/4$ tasse de vinaigre de cidre de pomme
- 1 cuillère à café de moutarde jaune ou brune épicée
- $^{1}/2$ cuillères à café de sel
- $^{1}/4$ cuillères à café de poivre noir fraîchement moulu
- 3 tasses de laitue romaine râpée
- 3 tomates Roma mûres, hachées finement
- 1 grosse carotte, râpée
- 1 concombre anglais moyen, pelé et haché
- $^{1}/3$ tasse d'oignon rouge émincé
- $^{1}/4$ tasse d'olives vertes dénoyautées tranchées
- 4 tortillas à la farine (10 pouces) ou pain plat au lavash

Dans une grande poêle, chauffer 2 cuillères à soupe d'huile à feu moyen. Ajouter le tofu et cuire jusqu'à ce qu'il soit doré, environ 10 minutes. Saupoudrer de sauce soja et laisser refroidir.

Dans un petit bol, mélanger le vinaigre, la moutarde, le sel et le poivre avec les 4 cuillères à soupe d'huile restantes, en remuant pour bien mélanger. Mettre de côté.

Dans un grand bol, mélanger la laitue, les tomates, la carotte, le concombre, l'oignon et les olives. Verser la vinaigrette et mélanger pour enrober.

Pour assembler les wraps, placez 1 tortilla sur une surface de travail et étalez-y environ un quart de la salade. Placer quelques lanières de tofu sur la tortilla et rouler fermement. Couper en deux en diagonale. Répéter avec les autres ingrédients et servir.

11. Wraps à la salade de tempeh et de noix

Donne 4 wraps

- 8 onces de tempeh
- 1/2 tasse de noix hachées
- 1 côte de céleri, hachée
- 1/4 tasse d'oignons verts finement hachés

- 1/4 tasse de poivron rouge finement haché
- 2 cuillères à soupe de persil frais haché
- 1 tasse de mayonnaise végétalienne, maison (voir Mayonnaise végétalienne) ou du commerce, divisé
- 1 cuillère à soupe de moutarde de Dijon
- 1 cuillère à café de jus de citron frais
- 1/2 cuillères à café de sel
- 1/8 cuillères à café de poivre noir fraîchement moulu
- 4 tortillas (10 pouces) ou pain plat lavash
- 1 à 2 tasses de laitue romaine râpée

Dans une casserole moyenne d'eau frémissante, cuire le tempeh pendant 30 minutes. Retirer le tempeh de la poêle et laisser refroidir.

Séchez le tempeh, hachez-le finement et placez-le dans un bol. Ajouter les noix, le céleri, les oignons verts, le poivron et le persil. Incorporer 1/2 tasse de mayonnaise, la moutarde, le jus de citron, le sel et le poivre noir. Mélanger jusqu'à ce que le tout soit bien mélangé.

Couvrir et réfrigérer au moins 30 minutes pour permettre aux saveurs de se mélanger. Goûter, rectifier l'assaisonnement si besoin.

Pour assembler les wraps, placez 1 tortilla sur un plan de travail et étalez-y 1 cuillère à soupe de mayonnaise restante. Garnir d'environ 2/3 tasse du mélange de tempeh. Garnir de laitue râpée et rouler fermement. Couper chaque tortilla en deux en diagonale. Répétez avec les autres ingrédients.

12. Wraps à l'avocat et au tempeh

Donne 4 wraps

- 2 cuillères à soupe d'huile d'olive
- 8 onces de bacon tempeh, fait maison (voir Tempeh Bacon) ou du commerce
- 4 tortillas à la farine molle (10 pouces) ou pain plat lavash

- 1/4 tasses de mayonnaise végétalienne, maison (voir Mayonnaise végétalienne) ou du commerce

- 4 grandes feuilles de laitue

- 2 avocats Hass mûrs, dénoyautés, pelés et coupés en tranches de 1/4 po

Dans une grande poêle, chauffer l'huile à feu moyen. Ajouter le bacon au tempeh et cuire jusqu'à ce qu'il soit doré des deux côtés, environ 8 minutes. Retirer du feu et réserver.

Placer 1 tortilla sur un plan de travail. Tartiner d'un peu de mayonnaise et d'un quart de la laitue et des tomates.

Dénoyautez, épluchez et tranchez finement l'avocat et placez les tranches sur la tomate. Ajouter le bacon tempeh réservé et rouler fermement. Répéter avec les autres ingrédients et servir.

13. Wraps aux pois chiches et aux tomates

Donne 4 wraps

- 11/2 tasses cuites ou 1 boîte (15,5 onces) de pois chiches, égouttés et rincés
- 1 côte de céleri, émincée
- 14 tasse d'oignon rouge émincé

- 3 cuillères à soupe de persil frais haché
- 1/2 tasses de mayonnaise végétalienne, maison (voir Mayonnaise végétalienne) ou du commerce
- 1 cuillère à soupe de moutarde brune épicée
- Sel et poivre noir fraîchement moulu
- 4 tortillas à la farine (10 pouces) ou pain plat au lavash
- 4 feuilles de laitue

Écraser les pois chiches dans un grand bol. Couper les tomates en morceaux de 1/4 de pouce et ajouter aux pois chiches

avec le céleri, l'oignon et le persil. Ajouter la mayonnaise, la moutarde, le sel et le poivre au goût, en remuant pour bien mélanger.

Pour assembler les wraps, placez 1 tortilla sur une surface de travail et étalez environ 1/2 tasse de pois chiches

mélange sur toute la surface. Garnir d'une feuille de laitue. Rouler serré et couper en deux en diagonale.

Répétez avec les autres ingrédients et servez.

*Pour utiliser des tomates séchées au soleil, placez-les dans un bol résistant à la chaleur et couvrez d'eau bouillante. Réserver 10 minutes pour reconstituer.

14. Wraps à la salade de tofu Waldorf

Donne 4 wraps

- 1 livre de tofu extra-ferme, égoutté, essuyé et coupé en dés de 1inch2 pouce

- 2 pommes croquantes fermes, comme Gala ou Fuji, épépinées et hachées
- 2 côtes de céleri, hachées
- $^{1}3$ oignon rouge émincé
- $^{1}/3$ tasse de noix hachées, grillées
- 2 cuillères à soupe de persil frais haché
- $^{1}/2$ tasses de mayonnaise végétalienne, maison (voir Mayonnaise végétalienne) ou du commerce
- 2 cuillères à soupe de jus de citron frais
- $^{1}/2$ cuillères à café de sucre
- $^{1}/2$ cuillères à café de sel
- $^{1}/4$ cuillères à café de poivre noir fraîchement moulu
- 4 tortillas à la farine (10 pouces) ou pain plat au lavash
- 4 feuilles de laitue

Dans un grand bol, mélanger le tofu,
les pommes, le céleri, l'oignon, les noix
et le persil. Ajouter la mayonnaise, le
jus de citron, le sucre, le sel et le
poivre, en remuant bien pour combiner.

Pour assembler les wraps, déposez 1 tortilla sur un
plan de travail. Étendre environ 1/2 tasse du
mélange de tofu

sur la tortilla et garnir d'une feuille de laitue.
Rouler serré et couper en deux en diagonale.
Répétez avec les autres ingrédients et servez.

15. Wraps au tofu teriyaki

Donne 4 wraps

- 3 cuillères à soupe de sauce soja

- 1 cuillère à soupe de jus de citron frais
- 1 cuillère à soupe de sucre
- 1 gousse d'ail, émincée
- 2 cuillères à soupe d'huile de sésame grillé
- 1/4 cuillères à café de cayenne moulu
- 1 livre de tofu extra-ferme, égoutté, essoré et coupé en lanières de 1/2 pouce
- 2 cuillères à soupe d'huile d'olive
- 1 gros poivron rouge, coupé en lanières de 1/4 po
- 4 tortillas à la farine (10 pouces) ou pain plat au lavash, réchauffés

Dans un petit bol, mélanger la sauce soja, le jus de citron, le sucre, l'ail, l'huile de sésame et le poivre de Cayenne et réserver.

Placer le tofu dans un bol peu profond. Verser la marinade teriyaki sur le tofu, en tournant doucement pour enrober.

Dans une grande poêle, chauffer l'huile à feu moyen. Retirer le tofu de la marinade, réserver la marinade. Placer le tofu dans la poêle chaude avec le poivron et cuire jusqu'à ce que le tofu soit doré et que les poivrons soient tendres, environ 10 minutes. Verser la marinade réservée sur le tofu et les poivrons et laisser mijoter en remuant doucement pour enrober.

Pour assembler les wraps, placez 1 tortilla sur une surface de travail et placez des lanières de tofu et de poivron sur le tiers inférieur. Roulez fermement. Répéter avec les autres ingrédients et servir.

16. Wraps végétariens au tofu et au tahini

Donne 4 wraps

- 8 onces de tofu extra-ferme, égoutté et épongé
- 3 oignons verts, émincés
- 2 côtes de céleri, hachées
- 1/2 tasse de persil frais haché

- 2 cuillères à soupe de câpres
- 2 cuillères à soupe de jus de citron frais
- 1 cuillère à soupe de moutarde de Dijon
- 1/2 cuillères à café de sel
- 1/8 cuillères à café de cayenne moulu
- 4 tortillas de farine (10 pouces) ou lavash
- 1 carotte moyenne, râpée
- 4 feuilles de laitue

Dans un robot culinaire, mélanger le tofu, le tahini, les oignons verts, le céleri, le persil, les câpres, le jus de citron, la moutarde, le sel et le poivre de Cayenne et mélanger jusqu'à ce que le tout soit bien mélangé.

Pour assembler les wraps, placez 1 tortilla sur une surface de travail et étalez environ 1/2 tasse du mélange de tofu sur la tortilla. Saupoudrer de carottes râpées et garnir d'une feuille de laitue. Rouler serré et couper en deux en diagonale. Répétez avec les autres ingrédients et servez.

17. Pitas au houmous déconstruits

Donne 4 pitas

- 1 gousse d'ail, écrasée
- ¾ tasse de tahini (pâte de sésame)
- 2 cuillères à soupe de jus de citron frais
- 1 cuillère à café de sel
- 1/8 cuillères à café de cayenne moulu

- ^{1}4 tasses d'eau
- 11/2 tasses cuites ou 1 boîte (15,5 onces) de pois chiches, rincés et égouttés
- 2 carottes moyennes, râpées (environ 1 tasse)
- 4 pains pita (7 pouces), de préférence de blé entier, coupés en deux
- 2 tasses de bébés épinards frais

Dans un mélangeur ou un robot culinaire, hacher l'ail. Ajouter le tahini, le jus de citron, le sel, le poivre de Cayenne et l'eau. Processus jusqu'à consistance lisse.

Placer les pois chiches dans un bol et écraser légèrement avec une fourchette. Ajouter les carottes et la sauce tahini réservée et mélanger. Mettre de côté.

Déposer 2 ou 3 cuillères à soupe du mélange de pois chiches dans chaque moitié de pita. Rentrez une tranche de tomate et quelques feuilles d'épinards dans chaque poche et servez.

18. Sandwichs muffalettas

Donne 4 sandwichs

- 1 tasse d'olives kalamata dénoyautées hachées
- 1 tasse d'olives vertes farcies au piment, hachées

- 1/2 tasse de pepperoncini haché (poivrons marinés)
- 1/2 tasse de poivrons rouges rôtis en pot (ou voir Hummus aux poivrons rouges grillés), haché
- 2 cuillères à soupe de câpres
- 3 oignons verts, émincés
- 3 tomates italiennes, hachées
- 2 cuillères à soupe de persil frais haché
- 1/2 cuillères à café de marjolaine séchée
- 1/2 cuillères à café de thym séché
- 1/4 tasse d'huile d'olive
- 2 cuillères à soupe de vinaigre de vin blanc
- Sel et poivre noir fraîchement moulu
- 4 petits pains kaiser individuels, boules ou autres petits pains sandwich croustillants, coupés en deux horizontalement

Dans un bol moyen, mélanger les olives kalamata, les olives vertes, le pepperoncini, les poivrons rouges, les câpres, les oignons verts, les tomates, le persil, la marjolaine, le thym, l'huile, le vinaigre, le sel et le poivre noir au goût. Mettre de côté.

Retirez une partie de l'intérieur des rouleaux de sandwich pour faire de la place pour la garniture. Verser le mélange de garniture dans la moitié inférieure des rouleaux, en tassant légèrement. Garnir des demi-rouleaux restants et servir.

19. Sandwichs aux falafels

Donne 4 sandwichs

- 11/2 tasses cuites ou 1 boîte (15,5 onces) de pois chiches, égouttés et rincés
- 3 gousses d'ail, hachées
- 1 petit oignon jaune, haché
- 3 cuillères à soupe de persil frais haché

- $^{1}/2$ tasse de flocons d'avoine à l'ancienne
- 1 cuillère à café de cumin moulu
- 1 cuillère à café de coriandre moulue
- 1 cuillère à café de sel
- $^{1}/4$ cuillères à café de poivre noir fraîchement moulu
- Farine de pois chiche ou farine tout usage, pour le dragage
- Huile d'olive, pour la friture
- 4 pains pita, coupés en deux
- Laitue romaine râpée, pour servir
- 1 tomate mûre, hachée
- $^{1}2$ tasse Sauce Tahini-Citron

Dans un robot culinaire, mélanger les pois chiches, l'ail, l'oignon, le persil, l'avoine, le cumin, la coriandre, le sel et le poivre et mélanger. Réfrigérer 20 à 30 minutes.

Façonner le mélange en petites boules d'environ 2 pouces de diamètre. Si le mélange n'est pas assez ferme, ajoutez jusqu'à 1/4 tasse de farine, petit à petit, jusqu'à ce que la consistance désirée soit atteinte. Aplatir les boules en galettes et les draguer dans la farine.

Dans une grande poêle, chauffer une fine couche d'huile à feu moyen-vif. Ajouter les falafels et cuire, en les retournant une fois, jusqu'à ce qu'ils soient dorés, environ 8 minutes au total.

Farcir les galettes de falafel dans les poches de pita, avec la laitue, la tomate et la sauce tahini. Sers immédiatement.

20. Po'Boys vietnamiens

Donne 4 po'boys

- 1 cuillère à soupe d'huile de canola ou de pépins de raisin
- 1 recette Escalopes de rêve au soja
- 2 cuillères à soupe de sauce soja

- 2 cuillères à café de sauce chili asiatique (comme la Sriracha)
- 3 cuillères à soupe de mayonnaise végétalienne, maison (voir Mayonnaise végétalienne) ou du commerce
- 2 cuillères à café de jus de citron vert frais
- baguettes (7 pouces), fendues sur la longueur
- 1/2 petits oignons rouges, tranchés finement
- 1 carotte moyenne, râpée
- 1/2 concombres anglais moyens, coupés en tranches de 1/4 po
- 12 tasse de feuilles de coriandre fraîche
- 1 cuillère à soupe de jalapeño émincé (facultatif)

Dans une poêle, chauffer l'huile à feu moyen. Ajouter les escalopes de soja et cuire jusqu'à ce qu'elles soient dorées des deux côtés, en les retournant une fois, environ 8 minutes au total.

Vers la mi-cuisson, saupoudrer les escalopes de sauce soja et 1 cuillère à café de sauce chili. Laisser refroidir à température ambiante.

Dans un petit bol, mélanger le reste de la sauce chili avec la mayonnaise et le jus de lime, en remuant pour bien mélanger.

Étaler le mélange de mayonnaise à l'intérieur des baguettes. Couche avec l'oignon, la carotte, le concombre, la coriandre et le jalapeño, le cas échéant. Trancher finement les escalopes de soja réservées et disposer les tranches sur le dessus. Sers immédiatement.

BURGERS

21. Burgers au tempeh tantrum

Donne 4 hamburgers

- 8 onces de tempeh, coupé en dés de 1/2 pouce
- ¾ tasse d'oignon haché
- 2 gousses d'ail, hachées
- ¾ tasse de noix hachées

- ^{1}2 tasse de flocons d'avoine à l'ancienne ou à cuisson rapide
- 1 cuillère à soupe de persil frais haché
- 1/2 cuillères à café d'origan séché
- 1/2 cuillères à café de thym séché
- 1/2 cuillères à café de sel
- 1/4 cuillères à café de poivre noir fraîchement moulu
- 3 cuillères à soupe d'huile d'olive
- Moutarde de Dijon
- 4 rouleaux de burger à grains entiers
- Oignon rouge tranché, tomate, laitue et avocat

Dans une casserole moyenne d'eau frémissante, cuire le tempeh pendant 30 minutes. Égoutter et laisser refroidir.

Dans un robot culinaire, mélanger l'oignon et l'ail et mélanger jusqu'à ce qu'ils soient hachés. Ajouter le tempeh refroidi, les noix, l'avoine, le persil, l'origan, le thym, le sel et le poivre. Mélanger jusqu'à ce que le tout soit bien mélangé. Façonner le mélange en 4 galettes égales.

Dans une grande poêle, chauffer l'huile à feu moyen. Ajouter les hamburgers et cuire jusqu'à ce qu'ils soient bien cuits et dorés des deux côtés, environ 7 minutes de chaque côté.

Étalez la quantité désirée de moutarde sur chaque moitié des rouleaux et superposez chaque rouleau avec de la laitue, de la tomate, de l'oignon rouge et de l'avocat, comme vous le souhaitez. Sers immédiatement.

22. Burgers au portobello grillés

Donne 4 hamburgers

- 2 cuillères à soupe d'huile d'olive

- 1 cuillère à soupe de vinaigre balsamique
- 1/4 cuillères à café de sucre
- 1/4 cuillères à café de sel
- 1/8 cuillères à café de poivre noir fraîchement moulu
- 4 gros chapeaux de champignons portobello, légèrement rincés et essorés
- 4 tranches d'oignon rouge
- 4 rouleaux kaiser, coupés en deux horizontalement ou autres rouleaux de hamburger
- 8 grandes feuilles de basilic frais
- 4 tranches de tomate mûre

Préchauffer le gril ou le gril. Dans un petit bol, mélanger l'huile, le vinaigre, le sucre, le sel et le poivre. Mettre de côté.

Placer les chapeaux de champignons et les tranches d'oignon sur le gril chaud et cuire jusqu'à ce qu'ils soient grillés des deux côtés, en les retournant une fois, environ 10 minutes au total.

Badigeonner le dessus des champignons et de l'oignon avec la vinaigrette et réserver au chaud. Placer les petits pains côté coupé vers le bas sur le gril et griller légèrement, environ 1 minute.

Étaler une tranche d'oignon et de champignon sur la moitié inférieure de chaque rouleau. Garnir chacun de deux feuilles de basilic et d'une tranche de tomate. Arroser avec la vinaigrette restante et couvrir chaque burger avec les dessus des rouleaux. Sers immédiatement.

23. Galettes de macadamia et noix de cajou

Donne 4 galettes

.

- 1 tasse de noix de macadamia hachées
- 1 tasse de noix de cajou hachées
- 1 carotte moyenne, râpée
- 1 petit oignon, haché

- 1 gousse d'ail, émincée
- 1 piment jalapeño ou autre piment vert, épépiné et émincé
- 1 tasse de flocons d'avoine à l'ancienne
- 1 tasse de chapelure sèche non assaisonnée
- 2 cuillères à soupe de coriandre fraîche hachée
- $^{1}/2$ cuillères à café de coriandre moulue
- Sel et poivre noir fraîchement moulu
- 2 cuillères à café de jus de citron vert frais
- Huile de canola ou de pépins de raisin, pour la friture
- 4 rouleaux de sandwich
- Feuilles de laitue et condiment au choix (voir sommaire)

Dans un robot culinaire, mélanger les noix de macadamia, les noix de cajou, la carotte, l'oignon, l'ail, le piment, l'avoine, la chapelure, la coriandre, la coriandre, le sel et le poivre au goût. Traiter jusqu'à ce que le tout soit bien mélangé. Ajouter le jus de citron vert et mélanger jusqu'à ce que le tout soit bien mélangé. Goûter, rectifier l'assaisonnement si besoin. Façonner le mélange en 4 galettes égales.

Dans une grande poêle, chauffer une fine couche d'huile à feu moyen. Ajouter les galettes et cuire jusqu'à ce qu'elles soient dorées des deux côtés, en les retournant une fois, environ 10 minutes au total. Servir sur des petits pains avec de la laitue et des condiments au choix.

24. Burgers aux pacanes et lentilles

Pour 4 à 6 hamburgers

- 11/2 tasses de lentilles brunes cuites
- ^{1}/2 tasse de pacanes moulues
- ^{1}/2 tasse de flocons d'avoine à l'ancienne
- ^{1}4 tasse de chapelure sèche non assaisonnée

- 1/4 tasse de farine de gluten de blé (gluten de blé vital)
- $^{1}2$ tasse d'oignon émincé
- 1/4 tasse de persil frais haché
- 1 cuillère à café de moutarde de Dijon
- 1/2 cuillères à café de sel
- 1/8 cuillères à café de poivre fraîchement moulu
- 2 cuillères à soupe d'huile d'olive
- 4 à 6 rouleaux de burger
- Feuilles de laitue, tranches de tomate, tranches d'oignon rouge et condiments au choix

Dans un robot culinaire, mélanger les lentilles, les pacanes, l'avoine, la chapelure, la farine, l'oignon, le persil, la moutarde, le sel et le poivre. Pulser pour combiner, en laissant un peu de texture. Façonner le mélange de lentilles en 4 à 6 burgers.

Dans une grande poêle, chauffer l'huile à feu moyen. Ajouter les burgers et cuire jusqu'à ce qu'ils soient dorés, environ 5 minutes de chaque côté.

Servir les hamburgers sur les petits pains avec de la laitue, des tranches de tomate, de l'oignon et des condiments au choix.

25. Burgers aux haricots noirs

Donne 4 hamburgers

- 3 cuillères à soupe d'huile d'olive
- 12 tasse d'oignon émincé
- 1 gousse d'ail, émincée
- 11/2 tasses cuites ou 1 boîte (15,5 onces) de haricots noirs, égouttés et rincés
- 1 cuillère à soupe de persil frais haché

- $^{1}/2$ tasse de chapelure sèche non assaisonnée

- $^{1}/4$ tasse de farine de gluten de blé (gluten de blé vital)

- 1 cuillère à café de paprika fumé

- $^{1}/2$ cuillères à café de thym séché

- Sel et poivre noir fraîchement moulu

- 4 rouleaux de hamburger

- 4 feuilles de laitue

- 1 tomate mûre, coupée en tranches de 1/4 po

Dans une petite poêle, chauffer 1 cuillère à soupe d'huile à feu moyen. Ajouter l'oignon et l'ail et cuire jusqu'à ce qu'ils ramollissent, environ 5 minutes.

Transférer le mélange d'oignons dans un robot culinaire. Ajouter les haricots, le persil, la chapelure, la farine, le paprika, le thym, le sel et le poivre au goût. Mélanger jusqu'à ce que le tout soit bien mélangé, en laissant un peu de texture. Façonner le mélange en 4 galettes égales et réfrigérer pendant 20 minutes.

Dans une grande poêle, chauffer les 2 cuillères à soupe d'huile restantes à feu moyen. Ajouter les hamburgers et cuire jusqu'à ce qu'ils soient dorés des deux côtés, en les retournant une fois, environ 5 minutes de chaque côté.

Servir les hamburgers sur les rouleaux avec de la laitue et des tranches de tomates.

26. Burgers aux noix

Donne 4 hamburgers

- 2 cuillères à soupe + 1 cuillère à café d'huile d'olive
- 1 petit oignon, haché
- 1 carotte moyenne, râpée

- 1 tasse de noix mélangées non salées
- 1/4 tasse de farine de gluten de blé (gluten de blé vital), plus si nécessaire
- ^{1}2 tasses de flocons d'avoine à l'ancienne, plus si besoin
- 2 cuillères à soupe de beurre d'arachide crémeux
- 2 cuillères à soupe de persil frais haché
- 1/2 cuillères à café de sel
- 1/4 cuillères à café de poivre noir fraîchement moulu
- 4 rouleaux de hamburger
- 4 feuilles de laitue
- 1 tomate mûre, coupée en tranches de 1/4 po

Dans une poêle moyenne, chauffer 1 cuillère à café d'huile à feu moyen. Ajouter l'oignon et cuire jusqu'à ce qu'il soit tendre, environ 5 minutes. Incorporer la carotte et réserver.

Dans un robot culinaire, mélanger les noix jusqu'à ce qu'elles soient hachées. Ajouter le mélange oignon-carotte avec la farine, l'avoine, le beurre d'arachide, le persil, le sel et le poivre. Mélanger jusqu'à ce que le tout soit bien mélangé. Façonner le mélange en 4 galettes égales, d'environ 4 pouces de diamètre. Si le mélange est trop lâche, ajoutez un peu plus de farine ou d'avoine.

Dans une grande poêle, chauffer les 2 cuillères à soupe d'huile restantes à feu moyen, ajouter les burgers et cuire jusqu'à ce qu'ils soient dorés des deux côtés, environ 5 minutes de chaque côté.

Servir les hamburgers sur les rouleaux avec de la laitue et des tranches de tomates.

27. Burgers végétariens dorés

Donne 4 hamburgers

- 2 cuillères à soupe d'huile d'olive

- 1 petit oignon jaune, haché
- 1/2 petits poivrons jaunes, hachés
- 11/2 tasses cuites ou 1 boîte (15,5 onces) de pois chiches, égouttés et rincés
- $\frac{3}{4}$ cuillère à café de sel
- 1/4 cuillères à café de poivre noir fraîchement moulu
- 1/4 tasse de farine de gluten de blé (gluten de blé vital)
- 4 rouleaux de hamburger
- Condiments au choix

Dans une grande poêle, chauffer 1 cuillère à soupe d'huile à feu moyen. Ajouter l'oignon et le poivron et cuire jusqu'à ce qu'ils ramollissent, environ 5 minutes. Laisser refroidir légèrement.

Transférer le mélange d'oignons refroidi dans un robot culinaire. Ajouter les pois chiches, le sel et le poivre noir et mélanger par impulsions. Ajouter la farine et mélanger pour combiner.

Façonner le mélange en 4 burgers d'environ 4 pouces de diamètre. Si le mélange est trop lâche, ajoutez un peu de farine supplémentaire.

Dans une grande poêle, chauffer les 2 cuillères à soupe d'huile restantes à feu moyen. Ajouter les hamburgers et cuire jusqu'à ce qu'ils soient fermes et dorés des deux côtés, en les retournant une fois, environ 5 minutes de chaque côté.

Servir les burgers sur les petits pains avec les condiments au choix.

28. Galettes De Lentilles Rouges Dans Pita

Donne 4 pitas

- $^{1}/2$ tasse de lentilles rouges, cueillies, rincées et égouttées
- 2 cuillères à soupe d'huile d'olive

- $^{1}2$ tasse d'oignon émincé
- 1 petite pomme de terre, pelée et râpée
- $^{1}/2$ tasse de noix de cajou grillées
- $^{1}/4$ tasse de farine de pois chiches ou de farine de gluten de blé
- 1 cuillère à soupe de persil frais haché
- 2 cuillères à café de curry piquant ou doux
- $^{1}/2$ cuillères à café de sel
- $^{1}/8$ cuillères à café de cayenne moulu
- 4 pains pita (7 pouces), réchauffés et coupés en deux
- Laitue romaine râpée
- Chutney de menthe fraîche et noix de coco ou votre chutney préféré

Porter une petite casserole d'eau salée à ébullition à feu vif. Ajouter les lentilles, porter à nouveau à ébullition, puis baisser le feu à doux. Couvrir et cuire jusqu'à tendreté, environ 15 minutes. Bien égoutter, puis remettre dans la casserole et cuire à feu doux pendant 1 à 2 minutes, en remuant, pour évaporer l'humidité restante. Mettre de côté.

Dans une grande poêle, chauffer 1 cuillère à soupe d'huile à feu moyen. Ajouter l'oignon et la pomme de terre, couvrir et cuire jusqu'à ce qu'ils soient tendres, environ 5 minutes. Mettre de côté.

Dans un robot culinaire, mélanger les noix de cajou jusqu'à ce qu'elles soient finement moulues. Ajouter les lentilles cuites et le

mélange oignon-pommes de terre et pulser pour combiner. Ajouter la farine, le persil, la poudre de curry, le sel et le poivre de Cayenne.

Mélangez jusqu'à ce que le tout soit mélangé, en laissant un peu de texture. Façonner le mélange en 8 petites galettes.

Dans une grande poêle, chauffer la 1 cuillère à soupe d'huile restante à feu moyen. Ajouter les galettes et cuire jusqu'à ce qu'elles soient dorées des deux côtés, environ 5 minutes de chaque côté.

Farcir une galette à l'intérieur de chaque moitié de pita, avec de la laitue râpée et une cuillerée de chutney. Sers immédiatement.

29. Galettes De Haricots Blancs Et Noix

Donne 4 galettes

- $^{1}4$ tasse d'oignon en dés
- 1 gousse d'ail, écrasée
- 1 tasse de morceaux de noix

- 1 tasse de haricots blancs en conserve ou cuits, égouttés et rincés
- 1 tasse de farine de gluten de blé (gluten de blé vital)
- 2 cuillères à soupe de persil frais haché
- 1 cuillère à soupe de sauce soja
- 1 cuillère à café de moutarde de Dijon et plus pour servir
- 1/2 cuillères à café de sel
- 1/2 cuillères à café de sauge moulue
- ^{1}2 cuillères à café de paprika doux
- 1/4 cuillères à café de curcuma
- 1/4 cuillères à café de poivre noir fraîchement moulu
- 2 cuillères à soupe d'huile d'olive
- Pain ou petits pains au choix
- Feuilles de laitue et tomates tranchées

Dans un robot culinaire, mélanger l'oignon, l'ail et les noix et mélanger jusqu'à ce qu'ils soient finement moulus.

Cuire les haricots dans une petite poêle à feu moyen, en remuant, pendant 1 à 2 minutes pour évaporer l'humidité. Ajouter les haricots au robot culinaire avec la farine, le persil, la sauce soja, la moutarde, le sel, la sauge, le paprika, le curcuma et le poivre. Mélanger jusqu'à ce que le tout soit bien mélangé. Façonner le mélange en 4 galettes égales.

Dans une grande poêle, chauffer l'huile à feu moyen. Ajouter les galettes et cuire jusqu'à ce qu'elles soient dorées des deux côtés, environ 5 minutes de chaque côté.

Servir sur votre pain de mie préféré avec de la moutarde, de la laitue et des tranches de tomates.

30. Galettes de pois chiches au cari

Donne 4 galettes

- 3 cuillères à soupe d'huile d'olive
- 1 petit oignon, haché

- 11/2 cuillères à café de curry piquant ou doux
- 1/2 cuillères à café de sel
- 1/8 cuillères à café de cayenne moulu
- 1 tasse de pois chiches cuits
- 1 cuillère à soupe de persil frais haché
- 1/2 tasse de farine de gluten de blé (gluten de blé vital)
- 1/3 tasse de chapelure sèche non assaisonnée
- 1/4 tasses de mayonnaise végétalienne, maison (voir Mayonnaise végétalienne) ou du commerce
- Pain ou petits pains au choix
- Feuilles de laitue
- 1 tomate mûre, coupée en tranches de 1/4 po

Dans une grande poêle, chauffer 1 cuillère à soupe d'huile à feu moyen. Ajouter l'oignon, couvrir et cuire jusqu'à ce qu'il ramollisse, 5 minutes. Incorporer 1 cuillère à café de poudre de curry, le sel et le poivre de Cayenne et retirer du feu. Mettre de côté.

Dans un robot culinaire, mélanger les pois chiches, le persil, la farine de gluten de blé, la chapelure et l'oignon cuit. Processus pour combiner, en laissant un peu de texture.

Former le mélange de pois chiches en 4 galettes égales et réserver.

Dans une grande poêle, chauffer les 2 cuillères à soupe d'huile restantes à feu moyen. Ajouter les galettes, couvrir et cuire jusqu'à ce qu'elles soient dorées des deux côtés, en les retournant une fois, environ 5 minutes de chaque côté.

Dans un petit bol, mélanger le 1/2 cuillère à café de curry restant avec la mayonnaise, en remuant

à mélanger. Étaler la mayonnaise au curry sur le pain. Garnir des galettes, de la laitue et des tranches de tomates. Sers immédiatement.

31. Galettes de haricots pinto avec mayo

Donne 4 galettes

- 11/2 tasses cuites ou 1 boîte (15,5 onces) de haricots pinto, rincés et égouttés
- 1 échalote moyenne, hachée

- 1 gousse d'ail, émincée
- 2 cuillères à soupe de coriandre fraîche hachée
- 1 cuillère à café d'assaisonnement créole
- 1/4 tasse de farine de gluten de blé (gluten de blé vital)
- Sel et poivre noir fraîchement moulu
- 1/2 tasse de chapelure sèche non assaisonnée
- 1 tasse de mayonnaise végétalienne, maison (voir Mayonnaise végétalienne) ou du commerce
- 2 cuillères à café de jus de citron vert frais
- 1 piment serrano, épépiné et émincé
- 2 cuillères à soupe d'huile d'olive
- Pain, tortillas à la farine ou petits pains sandwich
- Laitue râpée

- 1 tomate, coupée en tranches de 1/4 po

Épongez les haricots avec du papier absorbant pour absorber l'excès d'humidité. Dans un robot culinaire, mélanger les haricots, l'échalote, l'ail, la coriandre, l'assaisonnement créole, la farine, le sel et le poivre au goût. Mélanger jusqu'à ce que le tout soit bien mélangé.

Façonner le mélange en 4 galettes égales, en ajoutant plus de farine si nécessaire. Tremper les galettes dans la chapelure. Réfrigérer pendant 20 minutes.

Dans un petit bol, mélanger la mayonnaise, le jus de lime et le piment serrano. Saler et poivrer au goût, bien mélanger et réfrigérer jusqu'au moment de servir.

Dans une grande poêle, chauffer l'huile à feu moyen. Ajouter les galettes et cuire jusqu'à ce qu'elles soient dorées et croustillantes des deux côtés, environ 5 minutes de chaque côté.

Étaler la mayonnaise chili-lime sur le pain et garnir des galettes, de la laitue et de la tomate. Sers immédiatement.

FAJITAS ET BURRITOS

32. Fajitas au portobello poêlés

Donne 4 fajitas

- 2 cuillères à soupe d'huile d'olive

- 3 gros chapeaux de champignons portobello, légèrement rincés, essorés et coupés en lanières de 1/4 po
- 1 serrano ou autre piment fort, épépiné et émincé (facultatif)

- 3 tasses de pousses d'épinards frais

- ^{1}4 cuillères à café de cumin moulu

- ^{1}4 cuillères à café d'origan séché

- Sel et poivre noir fraîchement moulu

- 4 tortillas à la farine (10 pouces), réchauffées

- 1 tasse de salsa aux tomates, maison (voir Salsa aux tomates fraîches) ou du commerce

Dans une grande poêle, chauffer l'huile à feu moyen-élevé. Ajouter les champignons, l'oignon et le piment, le cas échéant, et cuire jusqu'à ce qu'ils soient saisis à l'extérieur et légèrement ramollis, en remuant de temps en temps, environ 5 minutes.

Ajouter les épinards et cuire jusqu'à ce qu'ils ramollissent, 1 à 2 minutes. Assaisonner avec le cumin, l'origan, le sel et le poivre au goût.

Pour assembler les fajitas, placez 1 tortilla sur un plan de travail. Tartiner d'un quart du mélange de champignons. Déposer 1 cup4 tasse de salsa sur le dessus et rouler fermement. Répétez avec les autres ingrédients. Sers immédiatement.

33. Fajitas au seitan mariné à la bière

Donne 4 fajitas

- ^{1}2 tasse d'oignon rouge haché
- 1 gousse d'ail, émincée
- ^{1}2 tasses de bière

- 2 cuillères à café de jus de citron vert frais
- 1 cuillère à soupe de coriandre fraîche hachée
- 1/4 cuillères à café de piment rouge broyé
- 1/2 cuillères à café de sel
- 8 onces de seitan, fait maison (voir Seitan mijoté de base) ou du commerce, coupé en lanières de 1/4 po
- 2 cuillères à soupe d'huile d'olive
- 1 avocat Hass mûr
- 4 tortillas à la farine (10 pouces), réchauffées
- 1/2 tasses de salsa aux tomates, maison (voir Salsa aux tomates fraîches) ou du commerce

Dans un bol peu profond, mélanger l'oignon, l'ail, la bière, le jus de lime, la coriandre, le poivron rouge broyé et le sel. Ajouter le seitan et laisser mariner 4 heures ou toute une nuit au réfrigérateur.

Retirer le seitan de la marinade, réserver la marinade. Dans une grande poêle, chauffer l'huile à feu moyen. Ajouter le seitan et cuire jusqu'à ce qu'il soit doré des deux côtés, environ 10 minutes. Ajouter la marinade réservée et laisser mijoter jusqu'à ce que la majeure partie du liquide se soit évaporée.

Dénoyauter, éplucher et couper l'avocat en tranches de 1/2 pouce. Pour assembler les fajitas, placez 1 tortilla sur une

plan de travail et garnir d'un quart des lanières de seitan, de la salsa et des tranches d'avocat. Rouler serré et répéter avec les autres ingrédients. Sers immédiatement.

34. Tacos Seitan

Donne 4 tacos

- 2 cuillères à soupe d'huile d'olive

- 12 onces de seitan, fait maison (voir Seitan mijoté de base) ou du commerce, haché finement
- 2 cuillères à soupe de sauce soja
- 11/2 cuillères à café de poudre de chili
- 14 cuillères à café de cumin moulu
- 1/4 cuillères à café d'ail en poudre
- 12 tortillas de maïs mous (6 pouces)
- 1 avocat Hass mûr
- Laitue romaine râpée
- 1 tasse de salsa aux tomates, maison (voir Salsa aux tomates fraîches) ou du commerce

Dans une grande poêle, chauffer l'huile à feu moyen. Ajouter le seitan et cuire jusqu'à ce qu'il soit doré, environ 10 minutes. Saupoudrer de sauce soja, de poudre de chili, de cumin et de poudre d'ail, en remuant pour enrober. Retirer du feu.

Préchauffer le four à 225°F. Dans une poêle moyenne, chauffer les tortillas à feu moyen et les empiler sur une assiette résistante à la chaleur. Couvrir de papier d'aluminium et les placer au four pour les garder doux et chauds.
Dénoyautez et épluchez l'avocat et coupez-le en tranches de 1/4 de pouce. Disposer la garniture pour tacos, l'avocat et la laitue sur un plateau et servir avec les tortillas réchauffées, la salsa et toute autre garniture.

35. Quesadillas aux haricots et à la salsa

Donne 4 quesadillas

- 1 cuillère à soupe d'huile de canola ou de pépins de raisin, et plus pour la friture
- 11/2 tasses cuites ou 1 boîte (15,5 onces) de haricots pinto, égouttés et écrasés

- 1 cuillère à café de poudre de chili
- 4 tortillas à la farine (10 pouces)
- 1 tasse de salsa aux tomates, maison (voir Salsa aux tomates fraîches) ou du commerce

Dans une casserole moyenne, chauffer l'huile à feu moyen. Ajouter la purée de haricots et la poudre de chili et cuire, en remuant, jusqu'à ce que ce soit chaud, environ 5 minutes. Mettre de côté.

Pour assembler, placez 1 tortilla sur une surface de travail et versez environ 1/4 tasse de haricots sur le

moitié inférieure. Garnir les haricots avec la salsa et l'oignon, si désiré. Replier la moitié supérieure de la tortilla sur la garniture et appuyer légèrement.

Dans une grande poêle, chauffer une fine couche d'huile à feu moyen. Placer les quesadillas pliées, 1 ou 2 à la fois, dans la poêle chaude et chauffer jusqu'à ce qu'elles soient chaudes, en les retournant une fois, environ 1 minute de chaque côté.

Couper les quesadillas en 3 ou 4 quartiers et les disposer sur des assiettes. Sers immédiatement.

36. Quesadillas aux épinards et aux haricots noirs

Donne 4 quesadillas

- 11/2 tasses cuites ou 1 boîte (15,5 onces) de haricots noirs, égouttés et rincés
- 1 cuillère à soupe d'huile d'olive
- ^{1}2 tasse d'oignon rouge émincé
- 2 gousses d'ail, hachées
- 2 tasses de champignons blancs tranchés
- 4 tasses de bébés épinards frais
- Sel et poivre noir fraîchement moulu
- 4 tortillas à la farine (10 pouces)
- Huile de canola ou de pépins de raisin, pour la friture

Placez les haricots noirs dans un bol moyen et écrasez-les grossièrement. Mettre de côté.

Dans une petite poêle, chauffer l'huile d'olive à feu moyen. Ajouter l'oignon et l'ail, couvrir et cuire jusqu'à ce qu'ils ramollissent, environ 5 minutes. Incorporer les champignons et cuire, à découvert, jusqu'à ce qu'ils ramollissent. Ajouter les épinards, assaisonner de sel et de poivre au goût et cuire, en remuant, jusqu'à ce que les épinards soient flétris, environ 3 minutes.

Incorporer la purée de haricots noirs et poursuivre la cuisson en remuant jusqu'à ce que le liquide soit absorbé.

Pour assembler les quesadillas, placez 1 tortilla à la fois sur une surface de travail et versez environ un quart du mélange sur la moitié inférieure de la tortilla. Replier la moitié supérieure des tortillas sur la garniture et presser légèrement.

Dans une grande poêle, chauffer une fine couche d'huile à feu moyen. Placer les quesadillas pliées, 1 ou 2 à la fois, dans la poêle chaude et chauffer à feu moyen jusqu'à ce qu'elles soient chaudes, en les retournant une fois, environ 1 minute de chaque côté.

Couper les quesadillas en 3 ou 4 quartiers chacune et les disposer sur des assiettes. Sers immédiatement.

37. Burritos aux haricots noirs et au maïs

Donne 4 burritos

- 1 cuillère à soupe d'huile d'olive

- [1]2 tasse d'oignon haché

- 11/2 tasses cuites ou 1 boîte (15,5 onces) de haricots noirs, égouttés et rincés
- [1]/2 tasses de salsa aux tomates, maison (voir Salsa aux tomates fraîches) ou du commerce

- 4 tortillas à la farine (10 pouces), réchauffées

Dans une casserole, chauffer l'huile à feu moyen. Ajouter l'oignon, couvrir et cuire jusqu'à ce qu'il ramollisse, environ 5 minutes. Ajouter les haricots et les écraser jusqu'à ce qu'ils soient brisés.

Ajouter le maïs et la salsa, en remuant pour combiner. Laisser mijoter, en remuant, jusqu'à ce que le mélange de haricots soit chaud environ 5 minutes.

Pour assembler les burritos, placez 1 tortilla sur une surface de travail et versez environ 1/2 tasse de la garniture

mélange au centre. Rouler serré en rentrant les côtés. Répétez avec les ingrédients restants. Servir la couture vers le bas.

38. Burritos aux haricots rouges

Donne 4 burritos

- 1 cuillère à soupe d'huile d'olive
- 1 oignon moyen, haché
- 1 poivron rouge moyen, haché

- 11/2 tasses cuites ou 1 boîte (15,5 onces) de haricots rouges foncés, égouttés et rincés

- 1 tasse de salsa aux tomates, maison (voir Salsa aux tomates fraîches) ou du commerce, plus un supplément si désiré

- 4 tortillas à la farine (10 pouces), réchauffées

- 1 tasse de riz cuit chaud

- 1 avocat Hass mûr, dénoyauté, pelé et coupé en tranches de 1/4 po

Dans une casserole moyenne, chauffer l'huile à feu moyen. Ajouter l'oignon et le poivron, couvrir et cuire jusqu'à ce qu'ils ramollissent, environ 5 minutes. Ajouter les haricots et la salsa et cuire en remuant pour combiner. Laisser mijoter en écrasant les haricots pendant que vous les remuez, jusqu'à ce qu'ils soient chauds.

Pour assembler les burritos, placez 1 tortillas sur une surface de travail et versez environ 1/2 tasse de haricots mélange au centre. Garnir de riz, suivi de tranches d'avocat et de salsa supplémentaire, si désiré. Rouler serré en rentrant les côtés. Répétez avec les ingrédients restants. Servir la couture vers le bas.

PIZZA, CALZONE, STROMBOLI ET RETOUR

39. Pâte de pizza basique

Donne une pizza de 12 pouces

- Huile d'olive
- 1 tasse d'eau tiède
- 1 sachet (1/4 once) de levure sèche active (21/4 cuillères à café)

- 11/4 cuillères à café de sel
- Pincée de sucre
- 21/2 tasses de farine tout usage, plus au besoin

Huiler légèrement un bol moyen et réserver. Dans un bol moyen séparé, mélanger l'eau tiède et la levure. Remuer jusqu'à ce que la levure soit dissoute.

Ajouter le sel, le sucre et la farine et mélanger juste assez longtemps pour former une pâte molle. Ajouter de petites quantités supplémentaires de farine si la pâte est trop collante. Ne pas trop mélanger.

Avec les mains bien farinées, placez la pâte dans le bol huilé, en tournant la pâte pour l'enrober d'huile. Couvrir d'une pellicule plastique ou d'un torchon propre. Laisser lever la pâte dans un endroit chaud jusqu'à ce qu'elle double de volume, environ 1 heure.

40. Pizza Margherita végétalienne

Donne 4 portions

- 1 recette Pâte de pizza basique
- 1 tasse de tofu ferme, égoutté

- 1 cuillère à soupe de levure nutritionnelle
- 2 tomates prunes mûres, coupées en fines tranches de papier
- 11/2 cuillères à soupe d'huile d'olive
- 1/4 tasse de pesto végétalien au basilic, fait maison (voir Basilic Pistou) ou du commerce à température ambiante Sel et poivre noir fraîchement moulu

Aplatir légèrement la pâte levée, couvrir d'une pellicule plastique ou d'une serviette propre et laisser reposer pendant 10 minutes.

Placez la grille du four au niveau le plus bas du four. Préchauffer le four à 450 °F. Huiler légèrement une plaque à pizza ou une grande plaque à pâtisserie.

Mettez la pâte détendue sur une surface légèrement farinée et aplatissez-la avec vos mains, en la retournant et en la farinant fréquemment, en la travaillant en un rond de 12 pouces. Attention à ne pas trop travailler le milieu ou le centre de la croûte sera trop fin. Transférer la pâte sur la plaque à pizza ou la plaque à pâtisserie préparée.

Dans un robot culinaire, mélanger le tofu et la levure nutritionnelle et mélanger jusqu'à consistance lisse. Ajouter du sel et du poivre au goût et mélanger jusqu'à consistance lisse. Mettre de côté.

Épongez tout excès de liquide des tranches de tomates avec du papier absorbant.

Étalez 1/2 cuillère à soupe d'huile d'olive sur la pâte à pizza préparée, en utilisant vos doigts pour l'étaler uniformément. Garnir du mélange de tofu, en l'étalant uniformément à environ 1/2 pouce du bord de la pâte.

Fouettez la cuillère à soupe d'huile restante dans le pesto et étalez uniformément sur le mélange de tofu à environ 1/2 pouce du bord de la pâte. Disposer les tranches de tomates sur la pizza et assaisonner de sel et de poivre au goût.

Cuire au four jusqu'à ce que la croûte soit dorée, environ 12 minutes. Couper la pizza en 8 quartiers et servir chaud.

41. Pizza Portobello Et Olives Noires

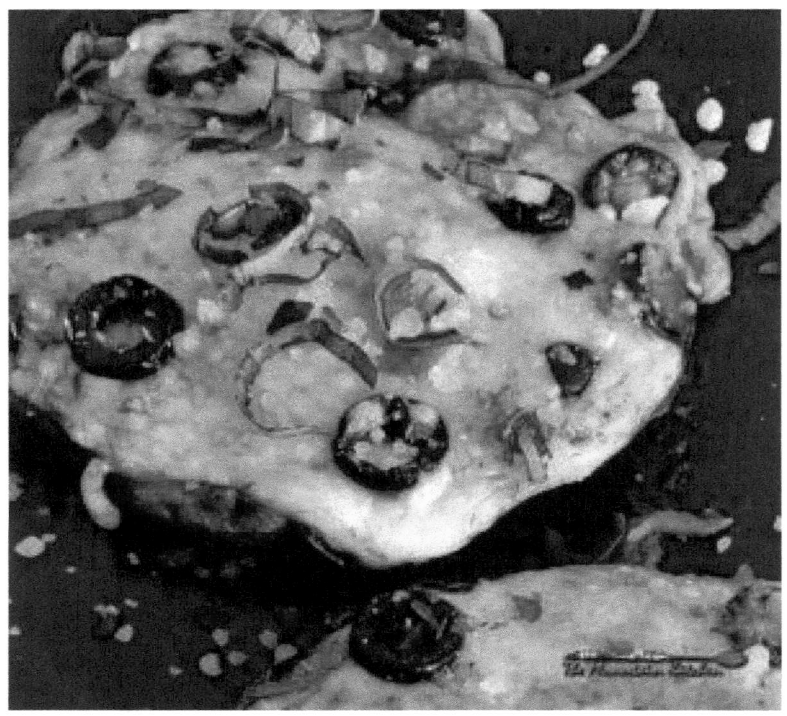

Donne 4 portions

- 1 recette Pâte de pizza basique
- 2 cuillères à soupe d'huile d'olive
- 2 chapeaux de champignons portobello, légèrement rincés, essorés et coupés en tranches de 1/4 po

- 1 cuillère à soupe de basilic frais finement haché

- ^{1}4 cuillères à café d'origan séché

- Sel et poivre noir fraîchement moulu
- ^{1}/2 tasses de sauce à pizza ou de sauce marinara (voir Sauce marinara)

Aplatir légèrement la pâte levée, couvrir d'une pellicule plastique ou d'un torchon propre et laisser reposer 10 minutes.

Placez la grille du four au niveau le plus bas du four. Préchauffer le four à 450 °F. Huiler légèrement une plaque à pizza ou une grande plaque à pâtisserie.

Mettez la pâte détendue sur une surface de travail légèrement farinée et aplatissez-la avec vos mains, en la retournant et en la farinant fréquemment, en la travaillant en un rond de 12 pouces. Attention à ne pas trop travailler le milieu ou le centre de la croûte sera trop fin. Transférer la pâte sur la plaque à pizza ou la plaque à pâtisserie préparée.

Dans une grande poêle, chauffer 1 cuillère à soupe d'huile à feu moyen. Ajouter les champignons et cuire jusqu'à ce qu'ils ramollissent, environ 5 minutes. Retirer du feu et ajouter le basilic, l'origan, saler et poivrer au goût. Incorporer les olives et réserver.

Étalez 1 cuillère à soupe d'huile restante sur la pâte à pizza préparée, en utilisant vos doigts pour l'étaler uniformément. Garnir de sauce à pizza, en l'étalant uniformément jusqu'à environ 1/2 pouce du bord de la pâte. Étendre le mélange de légumes uniformément sur la sauce, à environ 1 about2 pouce du bord de la pâte.

Cuire au four jusqu'à ce que la croûte soit dorée, environ 12 minutes. Couper la pizza en 8 quartiers et servir chaud.

42. Tout sauf les produits animaux

Donne 4 portions

- 1 recette Pâte de pizza basique
- 2 cuillères à soupe d'huile d'olive

- [1]2 tasse d'oignon rouge émincé
- 1/4 tasse de poivron rouge haché
- 1 tasse de champignons blancs tranchés
- 1/2 tasses de sauce à pizza ou sauce marinara, maison (voir Sauce marinara) ou du commerce
- 1/4 cuillères à café de basilic séché
- Sel et poivre noir fraîchement moulu
- 2 cuillères à soupe d'olives kalamata dénoyautées tranchées
- Garnitures facultatives : courgettes sautées, piments forts tranchés, cœurs d'artichauts, tomates séchées

Placez la grille du four au niveau le plus bas du four. Préchauffer le four à 450 °F. Huiler légèrement une plaque à pizza ou une grande plaque à pâtisserie.

Une fois que la pâte à pizza a levé, aplatir légèrement la pâte, couvrir d'une pellicule plastique ou d'une serviette propre et laisser reposer pendant 10 minutes.

Retournez la pâte sur une surface farinée et utilisez vos mains pour l'aplatir, en la retournant et en la farinant fréquemment, en la travaillant en un rond de 12 pouces. Attention à ne pas trop travailler le milieu ou le centre de la croûte sera trop fin. Transférer la pâte sur la plaque à pizza ou la plaque à pâtisserie préparée.

Dans une grande poêle, chauffer 1 cuillère à soupe d'huile à feu moyen. Ajouter l'oignon, le poivron et les champignons et cuire jusqu'à ce qu'ils ramollissent, environ 5 minutes. Retirer du feu et mettre de côté.

Étalez la cuillère à soupe d'huile restante sur la pâte à pizza préparée, en utilisant vos doigts pour l'étaler uniformément. Garnir de sauce à pizza, en l'étalant uniformément jusqu'à environ 1/2 pouce du bord de la pâte. Saupoudrer d'origan et de basilic.

Étendre le mélange de légumes uniformément sur la sauce jusqu'à environ 1/2 pouce du bord de la pâte. Assaisonner avec du sel et du poivre noir au goût. Saupoudrer d'olives et des garnitures désirées. Cuire au four jusqu'à ce que la croûte soit dorée, environ 12 minutes. Couper la pizza en 8 quartiers et servir chaud.

43. Pizza Blanche Aux Tomates Jaunes

Et

Donne 4 portions

- 1 pomme de terre Yukon Gold moyenne, pelée et coupée en tranches de 1/4 po
- Sel et poivre noir fraîchement moulu
- 1 recette Pâte de pizza basique

- 2 cuillères à soupe d'huile d'olive
- 1 moyen Vidalia ou autre oignon doux, coupé en tranches de 1/4 de pouce
- 6 à 8 feuilles de basilic frais
- 2 tomates jaunes mûres, coupées en tranches de 1/4 po

Placez la grille du four au niveau le plus bas du four. Préchauffer le four à 450 °F. Disposer les tranches de pommes de terre sur une plaque à pâtisserie légèrement huilée et assaisonner de sel et de poivre au goût. Cuire au four jusqu'à ce qu'ils soient tendres et dorés, environ 10 minutes. Mettre de côté. Huiler légèrement une plaque à pizza ou une grande plaque à pâtisserie.

Une fois que la pâte à pizza a levé, aplatir légèrement la pâte, couvrir d'une pellicule plastique ou d'une serviette propre et laisser reposer pendant 10 minutes.

Mettez la pâte détendue sur une surface légèrement farinée et aplatissez-la avec vos mains, en la retournant et en la farinant fréquemment, en la travaillant en un rond de 12 pouces. Attention à ne pas trop travailler le milieu ou le centre de la croûte sera trop fin. Transférer la pâte sur la plaque à pizza ou la plaque à pâtisserie préparée.

Dans une grande poêle, chauffer 1 cuillère à soupe d'huile à feu moyen. Ajouter l'oignon et cuire jusqu'à ce qu'il soit tendre et caramélisé, en remuant fréquemment, environ 30 minutes. Retirer du feu, assaisonner avec de l'origan, du sel et du poivre au goût et réserver.

Étalez la cuillère à soupe d'huile d'olive restante sur la pâte à pizza préparée, en utilisant vos doigts pour l'étaler uniformément. Garnir d'oignon caramélisé, en étalant uniformément sur environ 1/2 pouce du bord de la pâte. Garnir de feuilles de basilic, puis disposer les tranches de pomme de terre et de tomate sur les oignons et le basilic.

Cuire au four jusqu'à ce que la croûte soit dorée, environ 12 minutes. Couper la pizza en 8 quartiers et servir chaud.

44. Pizza épicée du sud-ouest

Donne 4 portions

- 1 recette Pâte de pizza basique

- 1 cuillère à soupe d'huile d'olive
- 1 cuillère à café de poudre de chili
- 11/2 tasses cuites ou 1 boîte (15,5 onces) de haricots pinto, égouttés
- 1 tasse de salsa aux tomates, maison (voir Salsa aux tomates fraîches) ou du commerce
- 2 cuillères à soupe de piments verts émincés en conserve chauds ou doux
- 2 cuillères à soupe d'olives kalamata dénoyautées tranchées
- 2 cuillères à soupe de coriandre fraîche hachée

Aplatir légèrement la pâte levée, couvrir d'une pellicule plastique ou d'un torchon propre et laisser reposer 10 minutes.

Placez la grille du four au niveau le plus bas du four. Préchauffer le four à 450 °F. Huiler légèrement une plaque à pizza ou une grande plaque à pâtisserie. Mettez la pâte détendue sur une surface légèrement farinée et aplatissez-la avec vos mains, en la retournant et en la farinant fréquemment, en la travaillant en un rond de 12 pouces. Attention à ne pas trop travailler le milieu ou le centre de la croûte sera trop fin. Transférer la pâte sur la plaque à pizza ou la plaque à pâtisserie préparée.

Dans une casserole moyenne, chauffer l'huile à feu moyen. Incorporer la poudre de chili, puis ajouter les haricots, en remuant pour combiner et réchauffer les haricots, environ 5 minutes.

Retirer du feu et bien écraser les haricots, en ajoutant une petite quantité de salsa, si nécessaire, pour humidifier les haricots.

Étendre le mélange de haricots uniformément sur la pâte à pizza préparée à environ 1/2 pouce du bord de la pâte. Étaler la salsa uniformément sur le mélange de haricots et saupoudrer de piments et d'olives.

Cuire au four jusqu'à ce que la croûte soit dorée, environ 12 minutes. Après avoir sorti la pizza du four, saupoudrez de coriandre, coupez en 8 quartiers et servez chaud.

45. Pizza Tapenade Et Tomate

Donne 4 portions

- 1 recette Pâte de pizza basique
- 3 tomates prunes mûres, coupées en fines tranches de papier
- 2 cuillères à soupe d'huile d'olive

- 1/4 tasse de tapenade d'olives noires et vertes, maison (voir Tapenade d'olives noires et vertes) ou du commerce
- 2 cuillères à café de câpres, égouttées et hachées si grosses

Aplatir légèrement la pâte levée, couvrir d'une pellicule plastique ou d'un torchon propre et laisser reposer 10 minutes.

Placez la grille du four au niveau le plus bas du four. Préchauffer le four à 450 °F. Huiler légèrement une plaque à pizza ou une grande plaque à pâtisserie. Mettez la pâte détendue sur une surface de travail légèrement farinée et aplatissez-la avec vos mains, en la retournant et en la farinant fréquemment, en la travaillant en un rond de 12 pouces. Attention à ne pas trop travailler le milieu ou le centre de la croûte sera trop fin. Transférer la pâte sur la plaque à pizza ou la plaque à pâtisserie préparée.

Épongez tout excès de liquide des tomates avec du papier absorbant. Étalez 1 cuillère à soupe d'huile sur la pâte à pizza préparée, en utilisant vos doigts pour l'étaler uniformément.

Fouetter 1 cuillère à soupe d'huile restante dans la tapenade et étaler la tapenade sur la pâte à pizza. Disposer les tranches de tomates sur la pizza et parsemer d'olives et de câpres.

Cuire au four jusqu'à ce que la croûte soit dorée, environ 12 minutes. Couper en 8 quartiers et servir chaud.

46. Calzones aux champignons et au poivre

Donne 4 calzones

- 1 recette Pâte de pizza basique
- 1 cuillère à soupe d'huile d'olive
- 3 gousses d'ail, hachées

- 1 livre de champignons blancs, légèrement rincés, épongés, séchés et hachés
- 8 onces de tofu extra-ferme, égoutté et émietté
- $^{1}/_{2}$ cuillères à café d'origan séché
- 1 cuillère à café de sel
- $^{1}/_{4}$ cuillères à café de poivre noir fraîchement moulu

Aplatir légèrement la pâte levée, couvrir d'une pellicule plastique ou d'un torchon propre et laisser reposer pendant 10 minutes.

Préchauffer le four à 400°F. Dans une grande poêle, chauffer l'huile à feu moyen. Ajouter l'ail et cuire jusqu'à ce qu'il soit parfumé, environ 30 secondes. Ajouter les champignons et cuire, en remuant, jusqu'à ce que tout liquide s'évapore, environ 5 minutes. Hacher les poivrons cerises et les ajouter aux champignons avec le tofu, l'origan, le sel et le poivre. Cuire en remuant pour mélanger les saveurs et évaporer tout liquide restant, environ 5 minutes. Retirer du feu et laisser refroidir.

Sur un plan de travail légèrement fariné, étalez la pâte relâchée et divisez-la en 4 morceaux égaux. Utilisez vos mains pour aplatir chaque morceau en cercles de 6 pouces, en les retournant et en les farinant au besoin.

Répartir la garniture également entre les cercles de pâte, en laissant une bordure de 1/2 pouce. Replier chaque cercle de pâte sur la garniture pour rencontrer le bord opposé de la pâte.

Avec les doigts humides, presser les bords de la pâte ensemble pour sceller la garniture à l'intérieur.

Transférer les calzones sur la plaque à pizza ou la plaque à pâtisserie préparée et cuire au four jusqu'à ce qu'elles soient dorées, environ 20 minutes.

Si les piments cerises ne sont pas disponibles, remplacez-les par un autre type de piments chili doux ou piquants en pot ou faites sauter un ou deux piments forts frais hachés avec un poivron haché.

47. Stromboli aux légumes rôtis

Donne 4 à 6 portions

- 1 recette Pâte de pizza basique
- 1 oignon rouge moyen, haché
- 1 poivron rouge ou jaune moyen, haché
- 1 courgette moyenne, hachée

- 2 gousses d'ail, hachées
- 8 onces de champignons blancs, légèrement rincés, essorés et coupés en tranches de 1/4 de pouce
- 3 tomates prunes mûres, hachées
- 1 cuillère à soupe de basilic frais émincé
- $^{1}/2$ cuillères à café d'origan séché
- $^{1}/4$ cuillères à café de piment rouge broyé (facultatif)
- Sel et poivre noir fraîchement moulu
- 2 cuillères à soupe d'huile d'olive
- $^{1}/2$ tasses de sauce à pizza ou sauce marinara, maison (voir Sauce marinara) ou du commerce
- 2 cuillères à soupe de parmesan végétalien ou Parmasio

Faire la pâte. Préchauffer le four à 450 °F.

Dans un plat peu profond légèrement huilé, mélanger l'oignon, le poivron, la courgette, l'ail, les champignons, les tomates, le basilic, l'origan, le poivron rouge broyé, si utilisé, et le sel et le poivre noir au goût. Arroser d'huile d'olive en remuant pour enrober les légumes.

Placez le plat de cuisson au four et faites rôtir les légumes jusqu'à ce qu'ils soient tendres, en remuant de temps en temps, 20 à 30 minutes. Sortez du four et laissez refroidir. Égoutter les légumes et les éponger.

Réduire la température du four à 375 °F. Huiler légèrement une grande plaque à pâtisserie et réserver.

Dégazer la pâte et la diviser en deux. Tournez l'un des morceaux de pâte sur une surface légèrement farinée et aplatissez-le avec vos mains, en le retournant et en le farinant fréquemment, en le travaillant en un rectangle de 9 x 12 pouces.

Ajouter la sauce à pizza au mélange de légumes, en remuant pour combiner. Saupoudrer de parmesan, si vous en utilisez.

Étaler la moitié du mélange de légumes refroidi sur la pâte en laissant une bordure de 1 pouce sur tous les côtés.

En commençant par le côté long, roulez le stromboli dans un cylindre, en pinçant les bords pour sceller la garniture.

Transférer le stromboli sur la plaque à pâtisserie préparée, joint vers le bas. Répétez avec les ingrédients restants.

Cuire au four jusqu'à ce que la croûte soit dorée, environ 30 minutes. Sortir du four et laisser reposer 10 minutes. Utilisez un couteau dentelé pour couper en tranches épaisses et servir.

48. Empanadas épicées au tempeh

Donne 6 empanadas

- 8 onces de tempeh
- 2 cuillères à soupe d'huile d'olive
- 1 oignon jaune moyen, haché finement
- 2 gousses d'ail, hachées

- 1/2 cuillères à café d'origan séché
- ^{1}2 cuillères à café de cumin moulu
- 1/2 cuillères à café de piment rouge broyé
- 11/2 cuillères à café de sel
- 1/4 cuillères à café de poivre noir
- ^{1}2 tasses de ketchup
- 1/2 tasse de raisins secs
- 1/4 tasse de jus d'orange frais
- 11/2 tasses de farine tout usage
- 1/2 tasse de semoule de maïs jaune ou blanche
- 1 cuillère à café de sucre
- 1 cuillère à café de levure chimique
- 1/2 tasse de margarine végétalienne
- 1/3 tasses plus 2 cuillères à café de lait de soja

- 2 cuillères à café de moutarde de Dijon

Dans une casserole moyenne d'eau frémissante, cuire le tempeh pendant 30 minutes. Bien égoutter, hacher et réserver.

Dans une grande poêle, chauffer l'huile à feu moyen, ajouter l'oignon et l'ail, couvrir et cuire jusqu'à tendreté, 5 minutes.

Incorporer le tempeh haché, l'origan, le cumin, le piment rouge broyé, 1/2 cuillère à café de sel et le noir

poivre. Cuire 5 minutes de plus, puis réduire le feu à doux et incorporer le ketchup, les raisins secs et le jus d'orange. Laisser mijoter jusqu'à ce que les saveurs se mélangent et que le liquide se soit évaporé, environ 15 minutes. Réserver au frais.

Préchauffer le four à 400°F. Dans un robot culinaire, mélanger la farine, la semoule de maïs, le sucre, le reste 1 cuillère à café de sel et la poudre à pâte. Pulser pour mélanger. Ajouter la margarine, le lait de soja et la moutarde.
Mélanger jusqu'à ce qu'une pâte molle se forme.

Divisez la pâte en 6 morceaux égaux et étalez-les en cercles de 7 pouces sur un plan de travail légèrement fariné.

Répartir le mélange de garniture sur une moitié de chaque cercle de pâte. Replier l'autre moitié de la pâte sur la garniture et sertir les bords pour sceller la garniture à l'intérieur.

Cuire au four jusqu'à ce qu'ils soient dorés, 25 à 30 minutes. Servir chaud.

49. Empanadas rapides à la pinto et aux pommes de terre

Donne 4 empanadas

- 11/2 tasses cuites ou 1 boîte (15,5 onces) de haricots pinto, égouttés et rincés
- 1 petite pomme de terre Russet au four, pelée et hachée grossièrement

- 1/2 tasses de salsa aux tomates, maison (voir Salsa aux tomates fraîches) ou du commerce

- 1/2 cuillères à café de poudre de chili

- 1/2 cuillères à café de sel

- 1/4 cuillères à café de poivre noir fraîchement moulu

- 1 feuille de pâte feuilletée surgelée, décongelée

Préchauffer le four à 400°F. Dans un bol moyen, écraser légèrement les haricots avec une fourchette. Ajouter la pomme de terre, la salsa, la poudre de chili, le sel et le poivre. Bien écraser et réserver.

Étalez la pâte sur une planche légèrement farinée et divisez-la en quatre.

Verser le mélange de haricots sur les quatre morceaux de pâte, en divisant uniformément. Pour chaque empanada, replier une extrémité de la pâte sur la garniture pour rencontrer l'extrémité opposée de la pâte. Utilisez vos doigts pour sceller et sertir les bords pour enfermer la garniture. Utilisez une fourchette pour percer le dessus des empanadas et placez-les sur une plaque à pâtisserie non graissée.

Cuire au four jusqu'à ce qu'ils soient dorés, environ 20 minutes.

50. Pâtés aux lentilles et aux noix

Donne 4 à 6 pâtés

- 2 tasses de farine tout usage
- 11/2 cuillères à café de levure chimique
- 11/2 cuillères à café de sel

- $^{2}/3$ tasses de margarine végétalienne, ramollie
- $^{1}3$ tasse de lait de soja
- 1 cuillère à soupe d'huile d'olive
- 1 petite pomme de terre, pelée et râpée
- 1 carotte moyenne, hachée finement
- $^{1}2$ tasse d'oignon émincé
- 2 gousses d'ail, hachées
- 1 cuillère à café de sauce soja
- $^{1}/2$ cuillères à café de thym séché
- $^{1}/2$ cuillères à café de sarriette séchée
- $^{1}/4$ cuillères à café de poivre noir fraîchement moulu
- 1 tasse de lentilles brunes cuites
- $^{1}/2$ tasse de noix hachées finement

Dans un grand bol, mélanger la farine, la poudre à pâte et 1 cuillère à café de sel. Utilisez un mélangeur à pâtisserie ou une fourchette pour couper la margarine jusqu'à ce que le mélange ressemble à des miettes grossières. Incorporer lentement le lait de soja, en ajoutant juste assez pour former une pâte.

Envelopper la pâte dans une pellicule plastique et réfrigérer pendant 20 minutes. Préchauffer le four à 375 °F. Beurrer une plaque à pâtisserie et réserver.

Dans une grande poêle, chauffer l'huile à feu moyen. Ajouter la pomme de terre, la carotte, l'oignon, l'ail, la sauce soja, le thym, la sarriette, le poivre et 1/2 cuillère à café de sel restant. Couvrir et cuire jusqu'à ce que les légumes soient tendres, environ 10 minutes. Incorporer les lentilles cuites et les noix et réserver.

Abaisser la pâte réfrigérée sur une surface de travail légèrement farinée jusqu'à environ 1/8 pouce d'épaisseur et utiliser un 4-

emporte-pièce rond de pouce (ou le bord d'un bol ou d'un verre de 4 pouces) pour couper la pâte en quatre cercles de 4 pouces.

Placer environ $\frac{3}{4}$ de tasse de la garniture au galop de chaque cercle de pâte. Superposer la pâte et pincer les bords ensemble pour former un demi-cercle. Rouler les extrémités pour faire un bord lisse.

Placer les pâtés sur la plaque à pâtisserie préparée. Badigeonner d'un peu d'huile et cuire jusqu'à coloration dorée,

Environ 20 minutes. Servir chaud.

51. Chaussons aux champignons

Fait 4 chaussons

- 1 cuillère à soupe d'huile d'olive
- 1 petit oignon, émincé
- 1 gousse d'ail, émincée
- 3 tasses de champignons blancs tranchés
- 1/2 cuillères à café de thym séché

- 1/2 cuillères à café de sarriette séchée
- 1/8 cuillères à café de cayenne moulu
- 1/2 tasse de pois surgelés, décongelés
- 1/2 tasse de crème sure végétalienne, faite maison (voir Crème sure au tofu) ou du commerce, ou en purée de tofu Sel et poivre noir fraîchement moulu
- 1 feuille de pâte feuilletée surgelée, décongelée
- 1 cuillère à soupe de lait de soja

Préchauffer le four à 425 °F. Dans une grande poêle, chauffer l'huile à feu moyen. Ajouter l'oignon et l'ail et cuire jusqu'à ce qu'ils ramollissent, environ 5 minutes. Incorporer les champignons, le thym, la sarriette et le poivre de Cayenne. Couvrir et cuire jusqu'à ce qu'ils soient juste tendres, environ 5 minutes.

Découvrir et poursuivre la cuisson jusqu'à évaporation du liquide. Retirer du feu et laisser refroidir. Incorporer les petits pois et la crème sure et assaisonner au goût avec du sel et du poivre. Mettre de côté.

Abaisser la pâte et diviser en quatre. Verser le mélange de champignons au centre de chaque morceau de pâte, en le divisant uniformément.

Replier la pâte en deux sur la garniture pour enfermer la garniture. Utilisez vos doigts pour presser les bords ensemble pour sceller la garniture à l'intérieur.

Badigeonner chaque chausson de lait de soja et percer le dessus avec une fourchette. Cuire au four jusqu'à coloration dorée, 15 à 20 minutes. Servir chaud.

52. Pizza à l'indienne

Donne 2 portions

- 1 tasse de yogourt nature végétalien
- 1 tasse de farine de semoule
- 1 cuillère à soupe de fécule de maïs
- 1/3 tasse plus 2 cuillères à soupe d'eau
- 1 carotte moyenne, râpée
- 1 piment vert chaud ou doux, épépiné et finement haché

- 1/4 tasse plus 1 cuillère à soupe de coriandre fraîche hachée

- 1/4 tasse de noix de cajou non salées hachées finement

- 1 cuillère à café de coriandre moulue
- 1/2 cuillère à café de sel

- 2 cuillères à soupe d'huile de canola ou de pépins de raisin

Placez le yaourt dans un bol moyen et réchauffez-le au micro-ondes pendant 30 secondes. Incorporer la farine et bien mélanger pour combiner.

Dans un petit bol, mélanger la fécule de maïs avec les 2 cuillères à soupe d'eau. Bien mélanger, puis incorporer au mélange de farine, en ajoutant le 1/3 tasse d'eau restante pour former une pâte épaisse.

Incorporer la carotte, le piment, l'oignon, 1/4 tasse de coriandre, les noix de cajou, la coriandre et le sel, en mélangeant bien. Laisser reposer 20 minutes à température ambiante. Préchauffer le four à 250°F.

Dans une grande poêle, chauffer l'huile à feu moyen. Verser la moitié de la pâte dans la poêle. Couvrir et cuire jusqu'à ce que le fond soit légèrement doré et que la pâte soit bien cuite, environ 5 minutes. Attention à ne pas brûler.

Faites glisser délicatement l'uttapam sur une plaque à pâtisserie ou un plat résistant à la chaleur et maintenez-le au chaud pendant que vous faites cuire le second avec le reste de la pâte.

Renversez chaque uttappam sur des assiettes, saupoudrez avec 1 cuillère à soupe de coriandre restante et servez chaud.

CONCLUSION

Les fast-foods ne sont-ils pas géniaux ? Ils sont pratiques, vos mains restent propres (pour la plupart !), et vous avez à peu près un nombre infini de variantes. Différents pains, garnitures, sauces, la liste s'allonge encore et encore, littéralement.

Bien sûr, les sandwichs et les hamburgers ne sont pas uniquement destinés à être mangés à la maison. Une partie de leur commodité réside dans la possibilité de les emballer et de les emmener n'importe où, au travail, en pique-nique ou simplement pour une journée où vous souhaitez emporter votre propre nourriture avec vous.

Cependant, il y a des conséquences à manger de la malbouffe aujourd'hui ; plus de la moitié des adultes sont considérés en surpoids, avec environ 25 % de la population adulte définie comme cliniquement obèse.

C'est exact. En fin de compte, c'est à nous de mieux manger. Et c'est pourquoi, avec les recettes de ce livre, vous obtenez une malbouffe végétalienne bien plus saine, sans animaux et encore plus savoureuse. Prendre plaisir!